Dibujos
Tría 3:
Horacio Elena
Mabel Piérola
Francesc Rovira

Cuento
Beatriz Doumerc

La foca Faustina nada
hasta el fondo del mar.
¡El agua está muy fría!

Faustina mueve sus aletas con fuerza y...
¡plaf, plaf, plaf...!, salpica agua por todos lados.
—¡Por favor, Faustina, no me salpiques!
—le dice el pulpo Feliciano—.
¿No ves que estoy resfriado?

Entonces Faustina flota y flota entre las olas
y las olas la llevan hasta el faro.
En el faro hay un jardín.
Lo cuida Fermín, el viejo delfín.
Allí crecen muchas flores
de distintos perfumes y colores.

Faustina huele las flores con su gran nariz:
¡snif, snif, snif...! Y después dice:
—¿Puedo coger una flor, Fermín?
—Todas las que quieras —le dice el delfín.

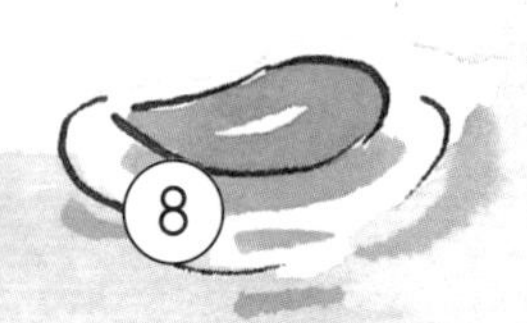

Faustina forma un ramo de flores
para llevárselo a papá y mamá foca.
Y ¡plaf, plaf, plaf...!, nada y flota entre las olas
con el ramo de flores en la boca.

Un poco fatigada, llega por fin a su casa.
—Mamá, papá, os he traído estas flores —dice.
Y papá y mamá foca se sienten muy felices con ese ramo de flores de distintos perfumes y colores.

Papá y mamá foca ponen las flores
en un florero, y después la familia
se sienta a comer a la mesa.
Hay filetes y sopa de fideos, y de postre...
¡una sorpresa!
—¡Adivina, Faustina! —le dice papá foca—:
Es algo que empieza por la f.

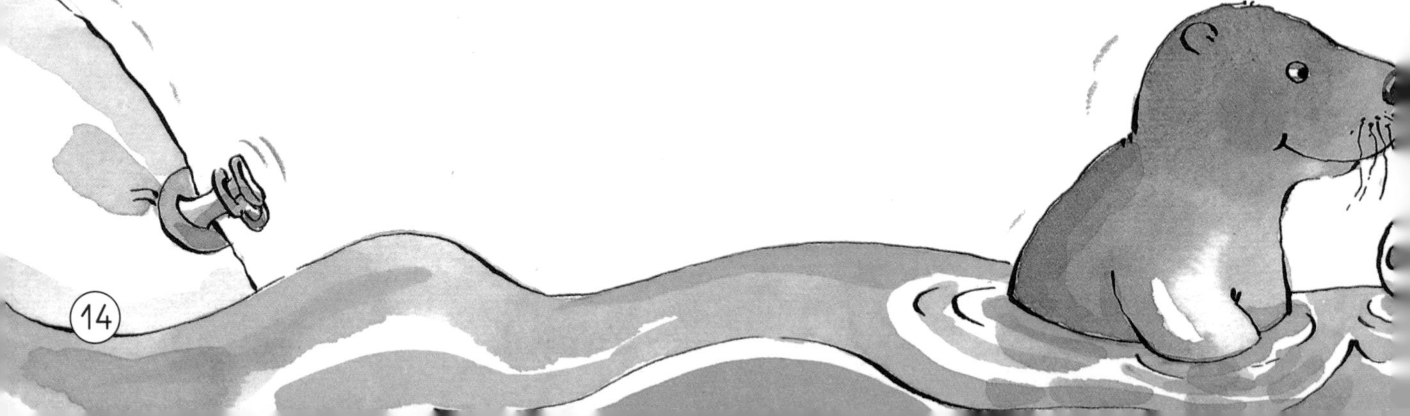

—¿Qué es? ¿Qué es? —pregunta Faustina.
Mamá foca le dice:
—Tu postre preferido... ¡Flan con fresas!
Y Faustina, muy feliz,
aplaude fuerte con sus aletas:
¡plif, plif, plif! Flan con fresas... ¡Qué festín!

- ¿Qué les lleva la foca Faustina a papá y mamá foca?
- ¿Cuál es el postre favorito de la foca Faustina?
- ¿Cuál es tu postre favorito?
- ¿Empieza por **f**?

Objetivos:

Comprender lo que se lee.
Narrar experiencias de la vida cotidiana.

Ahora vas a elegir un menú para la foca Faustina.

Pero, ¡ojo!: sólo puedes escoger comidas que tengan una **f** en su nombre.

De primer plato, la foca Faustina tomará:

ensalada *coliflor* *lentejas*

De segundo plato, la foca Faustina tomará:

tortilla francesa *salchichas* *merluza*

Y de postre, la foca Faustina tomará:

natillas *plátano* *frambuesas*

Objetivos:

Ampliar vocabulario.
Reconocer la letra **f.**

JUEGA con la f

El delfín y la foca viven en el mar, pero no son peces, sino mamíferos.

¿Cuál de los siguientes animales es un mamífero que también vive en el mar y no es un pez? (Si no lo sabes, pregúntaselo a un mayor.)

ballena tiburón bacalao

¿Te atreves a dibujar aquí ese animal?

Objetivos:

Ampliar conocimientos.
Desarrollar la creatividad.

Rodea con un círculo rojo los dibujos que tengan una **f** en su nombre.

JUEGA con la

Objetivos:

Estimular la atención.
Asociar imágenes con palabras.
Ejercitar la coordinación visomanual.

Si coloreas los espacios que tienen una **F** descubrirás un personaje de este cuento.

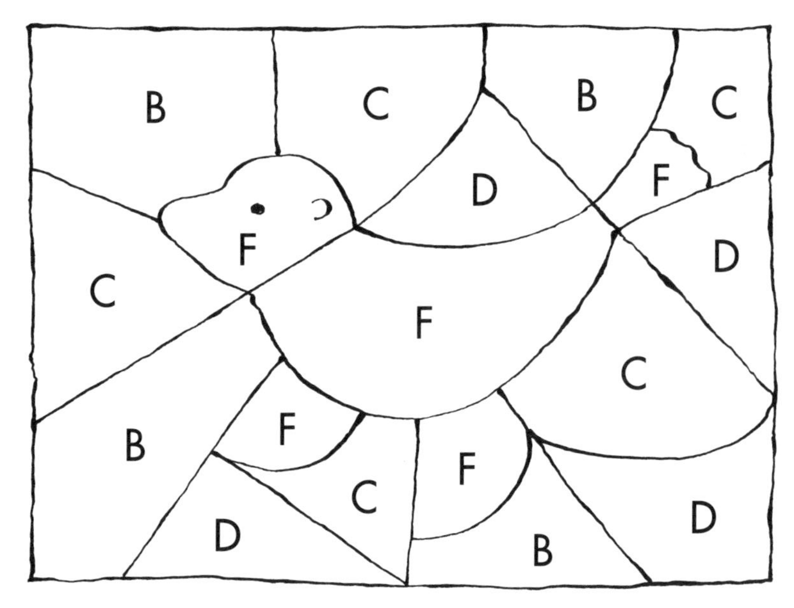

¿Qué personaje es?

(La foca Faustina.)

Objetivos:

Desarrollar la atención.
Reconocer la **F** mayúscula.

Colorea las letras **f** minúscula y **F** mayúscula y luego recórtalas.

Así podrás ir formando tu propio ZOO DE LAS LETRAS con los cuentos de esta colección.

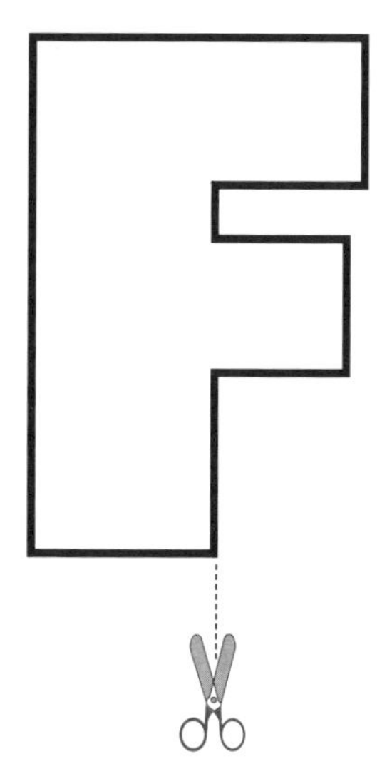

Objetivos:

Reconocer las letras **f, F.**
Ejercitar la coordinación visomanual.

colección
El zoo de las letras